DORAEMON

5

Fujiko·F·Fujio
藤子·F·不二雄

Kana

DORAEMON
Le Chat venu du Futur

Sommaire

Trop lent, trop rapide

SI TU VEUX QUE JE FASSE TES DEVOIRS, C'EST NON !

... VOICI DES DORAYAKIS* QUE TU AIMES TANT...

MON CHER DORA-emon...

*SORTE DE PANCAKES JAPONAIS.

JE N'Y ARRIVERAI PAS SANS TON AIDE.

... SANS TE LASSER ?

... DANS LE MÊME PÉTRIN TOUS LES JOURS...

COMMENT FAIS-TU POUR TE METTRE...

COMMENT AS-TU DEVINÉ ?

TU EN PENSES QUOI ?

HM ?

POURQUOI TE METS-TU TOUJOURS DANS CE GENRE DE SITUATION ?

TU DEVRAIS TE REMETTRE EN QUESTION.

MAINTENANT QUE TU ME LE DIS...

C'EST UNE BONNE QUESTION...

EH BIEN...

CRUNCH CRUNCH モグ グ

POUR ÊTRE CLAIR, TU ES TROP LENT ! TROP MOU !

TU ES TROP LENT !

J'Y RÉFLÉCHIRAI TRANQUIL-LEMENT CE SOIR.

JUSTEMENT ! C'EST CE QU'IL NE FAUT PAS FAIRE.

Si JE SUIS LENT, C'EST DE NAIS-SANCE.

HOP ! HOP ! TU VOIS ?

IL FAUT SE DÉPÊCHER DE FAIRE CE QU'IL Y A À FAIRE !

AVEC LE "QUICK", TES GESTES ET TA PENSÉE S'ACCÉLÈRENT. ET AVEC LE "SLOW", C'EST LE CONTRAIRE.

** SLOW (LENT)

* QUICK (RAPIDE)

JE N'AIME PAS LES MÉDICAMENTS !

J'EN PRENDRAI PLUS TARD...

TOI, TU DOIS BOIRE LE QUICK.

UN !
DEUX !

RAAAAH !!!

BOUGE BOUGE

DÉPÊCHE-TOI !
HOP ! HOP !

JE DOIS DEMANDER UNE EXPLICATION À QUELQU'UN. IL Y A UN TRUC QUE JE NE COMPRENDS PAS.

TU NE DOIS PAS T'ARRÊTER.

... DANS LA VIE.

MIEUX VAUT Y ALLER TRANQUIL-LEMENT...

JE N'AIME PAS LES IMPA-TIENTS.

HOP ! HOP !

TU ES VRAI-MENT TROP LENT !!!

TAP TAP TAP

JE NE SUIS PAS ENCORE PARTI !!!

TU ES DE RETOUR ?

... ET ON SE JETTE À L'INTÉRIEUR EN MÊME TEMPS.

ON APPLIE PRESTEMENT SUR LA SONNETTE...

VITE ! VITE !

POURQUOI TU TRAÎNES ?

VIUM

QUI...

VOUS FAITES DU THÉ ? MERCI, IL ÉTAIT TRÈS BON.

OH ! BONJOUR.

DIS BONJOUR EN ENLEVANT TES CHAUSSURES.

ON LÂCHE UN GAZ AVANT DE MANGER LA PATATE DOUCE*.

PROUT

ボム

AVALE ! VITE !

* LA PATATE DOUCE A TENDANCE
À PROVOQUER DES FLATULENCES.

J'AI PAS EU LE TEMPS DE POSER MA QUESTION...

DIS AU REVOIR EN MANGEANT.

LES BRAS M'EN TOMBENT !

QU'EST-CE QUE TU FABRI-QUES ?

QUOI ?

JE T'EN PRIE, PRENDS DU SLOW ET REDEVIENS COMME AVANT !

J'AI COMPRIS L'EFFET DU MÉDICAMENT.

ARREEEEETE !

LE VOILÀ ! LE VOILÀ ! GLOUPS !

EUH... OÙ EST-IL PASSÉ ? OÙ EST-IL ?

DANS CE CAS...

OUI, JE VAIS EN PRENDRE.

ALORS, TU VAS PRENDRE UN QUICK ? TU VAS EN PRENDRE ?

DONNE ! DONNE ! DONNE !

LE SLOW EST ICI.

OOOH! OOOH!

MAIS C'EST DU QUICK, NON ?

HEIN ?

TIENS...

PASSE-LA-MOI !! FAIS UN EFFORT !!

QUAND JE COURS, JE NE PEUX PLUS M'ARRÊTER.

ENCORE ?

VIUUUM

JE VAIS...

HAAF! HAAF! HAAF!

HAAAAF!!

...NON?

...PAR SE DISSIPER...

...FINIRA BIEN...

...SON EFFET...

C'EST UN MÉDICAMENT...

...LE LAISSER.

VIUUUM

JE VAIS RENTRER.

LENT

LENT

VIUUUM

VIUUUM

C'ÉTAIT QUOI, CE VENT ?

JE NE CROIS PAS.

NOBITA EST RENTRÉ ?

NOBINOBI-NOBI...

HOP LÀ !

JE SUIS FATIGUÉ.

CLANG

SINON JE VAIS ME CASSER.

JE DOIS VITE PRENDRE L'AUTRE MÉDI-CAMENT.

MAIS JE N'ARRIVE PAS À RALENTIR MON CERVEAU.

MON CORPS EST ÉPUISÉ.

AH...

JE T'EN PRENDS UN.

CES BONBONS ONT L'AIR DÉLICIEUX.

C'EST QUOI ?

CE QUE TU ES LENT ! PARLE PLUS VITE !

CES BONBONS...

OUI ?

EUH...

TROP TARD...

FAISONS TES DEVOIRS.

JE SUIS ENFIN REDEVENU NORMAL.

J'AI CAVALÉ JUSQU'AU DÉPARTEMENT VOISIN.

HIIII ! L'EFFET DU MÉDICAMENT S'EST ENFIN DISSIPÉ.

La peinture de la pesanteur

OÙ ALLONS-NOUS FÊTER LE NOËL DES ENFANTS, CETTE ANNÉE ?

IL Y A DEUX ANS, C'ÉTAIT CHEZ MOI.

L'AN DERNIER, ON S'EST RÉUNIS CHEZ MOI.

C'EST EMBÊTANT.

CHEZ MOI, C'EST IMPOSSIBLE.

PAS CHEZ MOI ! MA MÈRE NE VEUT PAS DE BRUIT.

CETTE ANNÉE, LA FÊTE SE PASSE CHEZ BICOQUE !

C'EST DÉCIDÉ !

EUH... C'EST-À-DIRE QUE...

POURQUOI PAS CHEZ TOI, BICOQUE ?

...

À TOUT À L'HEURE !

CHACUN APPORTE DES GÂTEAUX.

JE VAIS ME CHANGER.

21

ILS SERONT RAVIS.

POUSSE POUSSE

ON VA LEUR AMENER "UN SAPIN DE NOËL INSTANTANÉ".

JE NE SUIS JAMAIS ALLÉ JOUER CHEZ LUI.

QUOI ? PERSONNE NE LE SAIT ?

OÙ HABITE BICOQUE ?

HEIN ?

C'EST EMBÊTANT.

C'EST LOURD.

SÉPARONS-NOUS POUR TROUVER SA MAISON.

JE VAIS DEMANDER À MAMAN.

RIEN NE SERT DE TERGI-VERSER.

C'EST EMBÊTANT.

22

C'EST MINUSCULE.

ICHIRÔ VIENT DE RENTRER. C'EST AU TOUR DE JIRÔ DE SORTIR.

TE VOILÀ ?

DÈS QU'ON AURA PLUS D'ÉCONOMIES, ON DÉMÉNAGERA.

JE SUIS DÉSOLÉE, C'EST SI PETIT CHEZ NOUS...

SI TU VEUX.

IL FAIT FROID DEHORS. JE PRÉFÈRE INSTALLER UN HAMAC.

JE VAIS PRÉVENIR MES AMIS.

JE SAIS. C'EST IMPOSSIBLE.

UNE FÊTE DE NOËL ?

QU'AS-TU ? TU EN FAIS UNE DRÔLE DE TÊTE !

MAMAN...

C'EST NORMAL QUE TU AIES ENVIE D'INVITER DES COPAINS À LA MAISON POUR UNE FOIS.

MAIS, MAMAN ...

C'EST IMPORTANT DE TENIR UNE PROMESSE FAITE À DES AMIS...

ATTENDS !

ON NE VA PAS LES EMBÊTER. FAISONS PLUTÔT LA FÊTE À LA MAISON.

QUELLE GENTILLE MAMAN !

MAIS AVANT, ON VA RANGER UN PEU.

ALLEZ, TOUT LE MONDE ! ON SORT.

COUVREZ-VOUS BIEN POUR NE PAS ATTRAPER FROID.

?

NON, TOI !

DEMANDE-LUI, TOI.

C'EST LÀ TOUT LE PROBLÈME.

COMMENT FAIRE POUR QUE MAMAN ACCEPTE ?

J'AI ACCROCHÉ UNE ÉTAGÈRE. TOUT LE MONDE DIT QUE JE SUIS MALADROIT, MAIS...

... JE PEUX Y ARRIVER QUAND JE VEUX.

J'AI ENFIN RÉUSSI.

REGARDEZ !

ON VA Y POSER PLEIN DE CHOSES.

AVEC CETTE "PEINTURE DE LA PESANTEUR"...

SI LES CHOSES TOMBENT VERS LE BAS, C'EST À CAUSE DE LA PESANTEUR.

COMMENT ÇA ?

CE N'EST PAS LA PEINE DE MONTER UNE ÉTAGÈRE.

... DEVIENT LE "BAS".

... L'ENDROIT QUE L'ON PEINT...

VOUS N'AVEZ PAS BESOIN DE SORTIR.

J'AI UNE IDÉE ! ON N'A QU'À UTILISER CETTE PEINTURE CHEZ BICOQUE !

AH ! JE VOUS ATTENDAIS. ENTREZ !

ON NE TIENDRA PAS TOUS DEDANS.

SA MAISON EST TOUTE PETITE.

JINGLE BELLS JINGLE BELLS JINGLE ALL THE WAY !

Le procédé de fabrication de la Terre

JE LANCE DES MISSILES QUAND J'AVANCE.

JE SUIS UN VAISSEAU DE L'ESPACE.

JE MARCHE EN FAISANT BRILLER MES YEUX ET JE LÈVE MES BRAS.

JE SUIS LE MONSTRE MASQUÉ !

TU AS FABRIQUÉ QUOI ?

ET TOI, NOBITA ?

OUAIS, T'AS RAISON.

ON DOIT ÊTRE CAPABLE DE FABRIQUER CE GENRE DE MAQUETTE, QUAND ON EST EN PRIMAIRE.

ALLEZ, MONTRE !

MOI, JE N'AI...

C'EST TROP FACILE !

QUOI ? TU AS JUSTE COLLÉ DES AILES SUR CET ENGIN ?

VRAIMENT?

UNE CHOSE JAMAIS VUE !

EN FAIT... JE SUIS EN TRAIN DE FABRIQUER UN TRUC ÉNORME !

ENCORE ? TU FAIS TOUJOURS DES PROMESSES IMPOSSIBLES !

TU VEUX BIEN M'AIDER, DORAEMON ?

VOILÀ POURQUOI JE DOIS FABRIQUER UN TRUC ÉNORME.

SI JE NE FABRIQUE PAS QUELQUE CHOSE, ÇA VOUDRA DIRE QUE JE LEUR AI MENTI.

C'EST EMBÊTANT !

IL N'EXISTE PAS DE JEUX DE MODÉLISME DANS LE MONDE DU FUTUR.

CE N'EST PAS UN JEU DE MODÉLISME, MAIS...

...C'EST LA "LA TERRE EN KIT".

ET ÇA ?

REPRO-
DUIRE
LA
TERRE
?

MAIS NON. IL S'AGIT DE
REPRODUIRE LA TERRE.
AVEC LA MER, LE SOL
ET DES ANIMAUX
DESSUS.

CE N'EST PAS
AMUSANT DE
FABRIQUER
UNE
MAPPEMONDE...

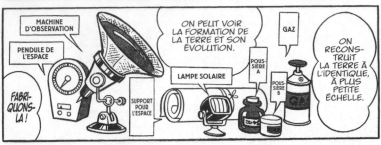

MACHINE
D'OBSERVATION

PENDULE DE
L'ESPACE

FABRI-
QUONS-
LA !

SUPPORT
POUR
L'ESPACE

ON PEUT VOIR
LA FORMATION DE
LA TERRE ET SON
ÉVOLUTION.

LAMPE SOLAIRE

GAZ

POUS-
SIÈRE
A

POUS-
SIÈRE
B

ON
RECONS-
TRUIT
LA TERRE À
L'IDENTIQUE,
À PLUS
PETITE
ÉCHELLE.

ET ON
VAPORISE
LE GAZ.

... ON
VERSE LES
POUS-
SIÈRES
A ET B.

IL FAUT D'ABORD
ÉTENDRE LE PAPIER
ET DESSUS...

ON AVANCE LES
AIGUILLES DE LA
PENDULE DE
L'ESPACE.

ON ALLUME
LA LAMPE.
TOUT EST
PRÊT.

30

NOUS ALLONS DÉCOUVRIR LA SUITE DES ÉVÉNEMENTS...

À L'ÉPOQUE, LE SOLEIL VENAIT À PEINE D'ÊTRE FORMÉ.

À L'ORIGINE, LA TERRE, C'ÉTAIT DE LA POUSSIÈRE ET DU GAZ QUI FLOTTAIENT DANS L'ESPACE.

TROP FORT !

C'EST LA TERRE.

... ET COMMENCENT À SE SOLIDIFIER.

TU VOIS ? LES POUSSIÈRES ET LE GAZ TOURBILLONNENT...

NON, IL FAUT ATTENDRE QU'ELLE REFROIDISSE.

IL N'Y A PAS DE VIE ?

TU VAS TE BRÛLER ! C'EST UNE BOULE DE FEU.

IL EST FOU.

IL DIT QU'IL A CRÉÉ LA TERRE.

VENEZ ! C'EST IMPRESSIONNANT.

J'AI CRÉÉ LA TERRE ! LA TERRE, JE VOUS DIS !

REGARDE À TRAVERS L'APPAREIL D'OBSERVATION.

ELLE S'EST BIEN REFROIDIE.

TOURNE TOURNE

グルル グルル

AVANCE LE TEMPS.

IL Y A UNE PLUIE DILUVIENNE.

C'EST AINSI QUE SE SONT FORMÉS LES OCÉANS.

OH ! LES VOLCANS SONT EN ÉRUPTION.

LEUR FORME SE COMPLEXIFIE.

LES CORPS SIMPLES SE MULTIPLIENT.

C'EST LA NAISSANCE DE LA VIE !

LA PENDULE DE L'ESPACE AVANCE DE 100 MILLIONS D'ANNÉES EN 1 MINUTE. DONC, LA TERRE A DÉJÀ 4 MILLIARDS D'ANNÉES.

ÇA FAIT 40 MINUTES QUE LA TERRE EST FORMÉE.

C'EST INTÉRESSANT.

LES PLANTES VONT BIENTÔT APPARAÎTRE.

CE QUE L'ON VOIT, C'EST LA TERRE, IL Y A 500 MILLIONS D'ANNÉES ! C'EST L'ÈRE PALÉOZOÏQUE.

ON VA RÉGLER LA PENDULE À 100 MILLIONS D'ANNÉES PAR DEMI-HEURE.

D'AUTRES ANIMAUX VONT APPARAÎTRE. ÇA VA ÊTRE INTÉRESSANT.

IL Y A 300 MILLIONS D'ANNÉES, DES ANCÊTRES DES LIBELLULES VOLENT DANS LE CIEL.

POURQUOI NE VIENNENT-ILS PAS ?

QUE FONT SUNÉO ET GIANT ?

C'EST LA VÉRITÉ ! SI C'EST PAS LE CAS, JE VEUX BIEN ÊTRE PENDU.

TU DORS DEBOUT ?

C'EST LA RÉPLIQUE EXACTE DE LA TERRE.

L'ÈRE PALÉOZOÏQUE EST FINIE. ON ENTRE DANS L'ÈRE MÉSOZOÏQUE*.

OUI, TOUT À L'HEURE.

VENEZ LA VOIR !

* ON APPELLE L'ÈRE PALÉOZOÏQUE, LA PÉRIODE ALLANT DE - 600 MILLIONS D'ANNÉES AVANT J.-C. À - 220 MILLIONS D'ANNÉES.
※ÈRE MÉSOZOÏQUE VA DE - 220 MILLIONS D'ANNÉES À - 70 MILLIONS D'ANNÉES.

L'ÈRE DES DINOSAURES VA BIENTÔT COMMENCER.

ALORS, ON Y VA.

J'AURAIS BIEN AIMÉ VOIR CE MONDE DE MES PROPRES YEUX.

ET IL N'Y A PLUS QU'À ENTRER À L'INTÉRIEUR.

ON ENLÈVE LE VERRE...

AAAH !

VOILÀ !
ON EST SUR
LA TERRE
QUE TU AS
CRÉÉE.

OUI,
TU AS TOUT
CRÉÉ.

J'AI CRÉÉ CET
ARBRE ET CE
ROCHER ?

C'EST MOI QUI
AI CONSTRUIT
TOUT ÇA ?

... JE SUIS LE DIEU DE CE MONDE !

ALORS, ÇA VEUT DIRE QUE...

J'AI AUSSI CRÉÉ CES OISEAUX QUI RESSEMBLENT À DES CHAUVES-SOURIS ?

OUI !

CHUT !!

ON A FAILLI SE FAIRE VOIR.

JE SUIS VRAIMENT ÉMU. SI GÉANT ET SUNÉO VOYAIENT ÇA, ILS TOMBERAIENT À LA RENVERSE.

JE NE VEUX PAS DE PÂTE À MODELER DANS LA MAISON. COMBIEN DE FOIS DOIS-JE LUI DIRE ?

AH NON !

AAH !

BRRR

BRRR

TANT PIS POUR LUI ! JE JETTE TOUT.

AH !

AAAH ! C'ÉTAIT UN GROS TREMBLEMENT DE TERRE !

QUE S'EST-IL PASSÉ ?

LES DINOSAURES S'ENFUIENT EN COURANT !

GRAO

GRAO

BAOUM

C'EST À CAUSE DU TREMBLEMENT DE TERRE DE TOUT À L'HEURE, PARTONS VITE !

LA TERRE SE CRAQUELLE !!!

LA SORTIE EST PAR ICI.

VITE !

... QU'ON NE PEUT PLUS REPARTIR !

HE ! MAIS S'IL N'Y A PAS DE SORTIE, ÇA VEUT DIRE...

HEIN ?

HEIN ?

HEIN ?

LA SORTIE DE L'APPAREIL D'OBSERVATION A DISPARU.

C'EST TOI QUI AS VOULU VENIR !

TU ES COMPLÈTEMENT IRRESPONSABLE DE M'AMENER ICI SANS SAVOIR ME RAMENER !

CE N'EST VRAIMENT PAS DRÔLE !

!

BOUM

VROOOM ブブウ

OH!

LA SORTIE
EST LÀ !

C'EST
LA FIN...

PFF...

BARAOUM

AH... AH...
LA TERRE...

C'EST DEVENU UN TAS DE CAILLASSE.

QUOI ? ILS AURAIENT DÛ VENIR PLUS TÔT.

SUNÉO ET GIANT SONT LÀ.

... ÇA VA ÊTRE SA FÊTE.

S'IL N'A PAS REPRODUIT LA TERRE...

DITES CE QUE VOUS VOULEZ. JE N'AI PAS ENVIE DE ME JUSTIFIER.

C'EST BIEN NOBITA, ÇA ! HAHAHA !

CETTE BOULE DE PÂTE À MODELER REPRÉSENTE LA TERRE ?

42

Nobita dans le miroir

IL Y A DES DORAYAKIS AU GOÛTER.

JE DOIS FAIRE PLUS D'ÉCONOMIES SI JE VEUX TOUT ÇA.

UN GANT DE BASE-BALL, DES VOITURES, UNE MONTRE...

LE TALKIE-WALKIE COÛTE 6 500 YENS*.

LE TANK TÉLÉGUIDÉ COÛTE 5 680 YENS*.

* ENVIRON 43,43 EUROS. - * ENVIRON 37,95 EUROS.

100 YENS*.

C'EST COMBIEN ?

* ENVIRON 0,67 EUROS.

MES AMIS ONT TOUT ÇA.

IL NE FAUT PAS VOULOIR TROP DE CHOSES.

J'AI LOIN D'AVOIR LE COMPTE.

JE TE LE RENDS. TU VEUX BIEN ME LE RACHETER ?

HMM

ÇA A L'AIR BON.

FAIS COMME TU VEUX.

JE SAIS QUE TU ES COMME ÇA. TU NE PARTAGES PAS.

JE SAIS. JE N'AI PAS L'INTENTION DE T'EN DEMANDER LA MOITIÉ.

JE TE SIGNALE QUE C'EST MA PART !

"LE MIROIR QUI DOUBLE".

JE NE PEUX PAS MANGER TRANQUILLE.

TOUT CE QUE REFLÈTE CE MIROIR APPARAÎT EN VRAI.

QUE FAIS-TU ?

AINSI JE POURRAI ACHETER PLEIN DE CHOSES.

J'AI UNE IDÉE ! JE VAIS MULTIPLIER DE L'ARGENT.

QUEL MIROIR IMPRESSIONNANT !

MAIS IL NE FAUT SURTOUT PAS OUBLIER D'ÉTEINDRE L'APPAREIL.

MAIS OUI ! DE TOUTE FAÇON, JE N'AI PAS BESOIN DE PAYER POUR AVOIR CES CHOSES !

COMME C'EST UN MIROIR, ÇA VA SORTIR INVERSE.

POURQUOI ? NON.

* 1000 YENS = ENVIRON 6,68 EUROS.

JE VAIS DUPLIQUER CES CHOSES ET LES LEUR RENDRE.

TU N'EN AS BESOIN QUE 30 MINUTES ?

PROMETS-NOUS DE LES RENDRE.

JE VOUS DONNE 10 YENS* POUR L'EMPRUNT DE CES JOUETS.

* 10 YENS = ENVIRON 0,07 EURO.

J'AI FINI !

N'OUBLIE PAS D'ÉTEINDRE L'APPAREIL.

LE MIROIR LE REFLÈTE ET JE LE FAIS APPARAÎTRE, ET AINSI DE SUITE.

JE CROIS RÊVER ! RECEVOIR AUTANT DE CHOSES D'UN COUP !

JE SUIS NOBITA.

QUI... QUI ES-TU ?

OH !!!

TU N'AS QU'À Y ALLER TOI-MÊME !

RETOURNE À L'INTÉRIEUR !

TU ES SORTI DU MIROIR ?

JE NE PEUX PAS SORTIR.

OH NON ! IL FAIT TOUT NOIR !

BOUM

RANGE LE MIROIR SI TU NE T'EN SERS PLUS.

QU'Y A-T-IL ?

DORAEMON !!!

TU JOUES ENCORE ?

BOUM

BOUM

J'AI TOUJOURS EU ENVIE DE SORTIR DE CE MIROIR. JE VAIS M'ÉCLATER !

DEPUIS QUAND ÉCRIS-TU DE LA MAIN GAUCHE ? PRENDS TON CRAYON AVEC LA MAIN DROITE.

DEPUIS CE MATIN, TU REPORTES LE MOMENT D'ÉTUDIER.

JE VIENS À PEINE DE COMMENCER.

JE VAIS LE DUPLIQUER ET JE POURRAI EN MANGER.

JE SAIS ! JE VAIS EN EMPRUN-TER UN.

J'AIMERAIS MANGER UN AUTRE DORAYAKI.

Le marteau souvenir

QU'EST-CE QUI SE PASSE, MAMAN ?

JE NE VOUS CONNAIS PAS.

JE VOUS PRIE DE SORTIR D'ICI.

ス

QUI EST-CE ?

PUISQUE JE VOUS DIS QUE CE N'EST PAS CHEZ VOUS.

J'AI L'IMPRESSION QUE ÇA ME DIT QUELQUE CHOSE... MAIS NON...

HMM...

JE VOIS. C'EST UN AMNÉSIQUE.

IL A OUBLIÉ SON NOM, SON ADRESSE ET SA PROFESSION.

CE MONSIEUR A PERDU LA MÉMOIRE.

51

PUISQU'ON VOUS DIT QUE NON !

ON SE RESSEMBLE, NON ? VOUS ÊTES DE LA FAMILLE ?

CELLE-CI N'EST PAS LA VÔTRE.

J'ENTRE DANS TOUTES LES MAISONS POUR RETROUVER LA MIENNE.

SI VOUS INSISTEZ, ON APPELLE LA POLICE.

MAIS PEUT-ÊTRE QUE...

TOURNE TOURNE

フラ フラ

FOUTAISES !!!

JE N'AI RIEN MANGÉ DEPUIS HIER.

LE PAUVRE...

EUH... C'EST LE 10e BOL DE RIZ... VOUS N'ALLEZ PAS TOMBER MALADE ?

IL A BON APPÉTIT.

CROC CROC

ARF ARF

HAM HAM

モリ モリ

OH ! QUE VOUS ÊTES GENTILLE !

ÇA NE ME DÉRANGE PAS DE VOUS SERVIR, MAIS J'AI PEUR QUE VOUS TOMBIEZ MALADE !

IL NE SAIT MÊME PLUS COMPTER !

QUELLE EST LA DIFFÉRENCE ENTRE 10 BOLS ET 3 BOLS ?

OH ! LE GOUJAT !

... MA MAMAN ?

PEUT-ÊTRE QUE VOUS ÊTES...

OUI, MÊME D'UN DÉTAIL.

ESSAYEZ DE VOUS SOUVENIR DE QUELQUE CHOSE.

ON VA DISCUTER DE CE QU'ON VA FAIRE.

NON ! JE NE ME SOUVIENS DE RIEN.

HM...

VOUS ENTENDIEZ PEUT-ÊTRE PASSER LE TRAIN DE CHEZ VOUS ?

PEUT-ÊTRE QUE VOUS HABITIEZ À LA MONTAGNE ? OU AU BORD DE LA MER ?

DORAEMON, ON NE PEUT RIEN FAIRE POUR LUI ?

NON, C'EST TROP DANGEREUX.

ペ・タ・ー・ム

ON VA UTILISER ÇA !

ソ・ツ
スッ

DE QUOI TU PARLES ?

NON, CE N'EST PAS BIEN.

ペ・タ・ー・ム

MAIS C'EST LA SEULE SOLUTION !

スッ・ツ

VRAIMENT ?

C'EST UN MARTEAU QUI PERMET DE SE RAPPELER DES SOUVENIRS.

JE PARLE DE ÇA.

... CE N'EST PAS COMME SI VOS SOUVENIRS AVAIENT DISPARU.

MÊME SI VOUS AVEZ TOUT OUBLIÉ...

... LES RANGER DANS DES PETITES CASES.

MÉMORISER LES CHOSES, C'EST COMME...

ALLONS-Y !

SI JE VOUS FRAPPE LA TÊTE AVEC ÇA, VOS SOUVENIRS REVIENDRONT.

C'EST JUSTE QUE VOS TIROIRS NE S'OUVRENT PLUS.

MAIS JE NE PEUX PAS RESTER COMME ÇA.

ALORS, ON NE LE FAIT PAS.

J'AI PEUR.

VOUS VOULEZ ESSAYER ?

MAIS IL EST POSSIBLE AUSSI QUE VOTRE AMNÉSIE EMPIRE.

JE VAIS LE FAIRE ! NE VOUS FÂCHEZ PAS.

VOUS N'AVEZ QU'À ESSAYER. SI ÇA MARCHE, JE LE FERAI...

FAISONS COMME ÇA.

QUE VOULEZ-VOUS FAIRE ?

ALLEZ-Y TOUT DOUCEMENT.

DES SOUVENIRS APPARAISSENT !

ON RECOMMENCE.

ESSAYEZ DE VOUS RAPPELER DES CHOSES PLUS ANCIENNES.

C'EST LE REPAS QU'IL A MANGÉ TOUT À L'HEURE.

AAAH!!

ON VA REGARDER DAVAN- TAGE.

VOUS AVEZ DE LA CHANCE DE NE PAS ÊTRE MORT.

MON AMNÉSIE A ÉTÉ CAUSÉE PAR CETTE CHUTE ?

VOUS ÊTES TOMBÉ DE LA TOUR DE TOKYO ?

ESSAYEZ DE VOUS SOU- VENIR DE VOTRE MAISON.

QUI ÊTES-VOUS DONC ?

IL NE VOUS ARRIVE QUE DES ENNUIS.

JE CROIS ME SOUVENIR DE CE LIEU.

QUOI ? VOUS HABITEZ DANS UN PALAIS ?

ON VA RÉESSAYER.

C'EST INCROYABLE.

QUELLE SOMME !

WAOUH !!!

C'EST DONC ÇA.

CET HOMME EST TRÈS RICHE ET HABITE DANS UN PALAIS. ET DES MALFRATS EN VEULENT TOUJOURS À SON ARGENT.

J'AI COMPRIS.

JE VOIS...

... IL SERA FACILE DE LE RETROUVER.

SI VOUS HABITEZ UN PALAIS...

... ÇA ME RAPPELLE QUELQUE CHOSE.

MAINTENANT QUE TU LE DIS...

ALLONS-Y !

JE VOUS DONNE UN MILLION DE YENS* SI VOUS LOCALISEZ MON PALAIS.

* ENVIRON 6 689,16 EUROS.

MAIS...

JE ME DEMANDE SI CE PALAIS EXISTE VRAIMENT.

VOUS SAVEZ OÙ IL Y A UN PALAIS ?

J'IGNORAIS QU'IL ÉTAIT SI RICHE.

59

VOUS VENEZ JUSTE DE MANGER ! IL N'Y A PLUS RIEN.

CE N'EST PAS ENCORE L'HEURE DU DÎNER ?

MERCI.

JE VOUS DONNERAI AUSSI 100 000 YENS*.

* ENVIRON 668,27 EUROS.

JE VOUS EN SUPPLIE, VENEZ MANGER À LA MAISON.

JE SUIS RICHE.

TANT PIS. JE VAIS MANGER À L'EXTÉRIEUR.

ET AUSSI DEUX PORCS PANÉS ET DEUX ANGUIILLES DE QUALITÉ SUPÉRIEURE, ÉVIDEMMENT.

NOUS VOULONS LA QUALITÉ SUPÉRIEURE !!!

VOUS AVEZ COMPRIS ?

NOUS VOUS COMMANDONS VOS MEILLEURS SUSHIS.

ALLÔ, LE RESTAURANT DE SUSHIS ?

NON, RIEN À VOIR.

VOUS ÊTES PEUT-ÊTRE DE LA FAMILLE ?

TRÈS CHER, NOUS AVONS UN AIR DE FAMILLE.

JE VOUS DONNERAI 100 000 YENS CHACUN.

LE MEILLEUR OSHI-BORI*.

VOICI LE THÉ, DE QUALITÉ SUPÉRIEURE.

* UNE SERVIETTE HUMIDE ET CHAUDE POUR SE NETTOYER LES MAINS AVANT LE REPAS.

61

C'EST BIZARRE... JE VAIS RECOMMENCER.

DU BALAI !!!

MENTEUR !!!

Hiiiiiii !

HÉ ! DONNEZ-MOI PLUS DE NOURRITURE.

EH BIEN, ÇA ME DIT QUELQUE CHOSE.

VOUS ÊTES UN GANGSTER ?

QU'EST-CE QUE C'EST QUE ÇA ?

OÙ EST MA MAISON ?

ILS SE SONT TAPÉS DESSUS ET ONT PERDU LA TÊTE.

- C'EST LE DÉCOR D'UN FILM.

ON A TROUVÉ LE PALAIS, MAIS...

QUELLE DÉCEPTION !!!

CET HOMME EST UN ACTEUR QUI JOUE DES RÔLES DE MÉCHANT.

IL A TROUÉ MON BALLON, LA DERNIÈRE FOIS.

La tirelire à gages

PAREIL POUR LE MIEN.

LE MIEN AUSSI.

GIANT, TU DEVRAIS T'EN ACHETER UN AUSSI.

JE SAIS ! J'AI UNE BONNE IDÉE.

COMME C'EST QUELQUE CHOSE QU'ON UTILISE ENSEMBLE, PAYONS-LE ENSEMBLE.

MOI AUSSI.

LA PROCHAINE FOIS.

JE PAYERAI DEMAIN.

JE N'AI RIEN SUR MOI.

C'EST D'AC- CORD.

C'EST BIEN, C'EST ÉQUI- TABLE.

ON VA TOUS SE COTISER...

POURQUOI TU NE DONNES PAS L'ARGENT EN PREMIER ?

VOUS ÊTES INCROYA- BLES !

C'EST "LA TIRELIRE À GAGES".

... JE VOUS PRÊTE CECI.

DANS CE CAS...

J'AI COMPRIS LA SITUATION.

J'AI TOUT VU.

... ET VOUS SOLITRE 10 YENS PAR BÊTISE.

... CETTE TIRELIRE ARRIVE...

QUAND VOUS FAITES UNE BÊTISE...

UTILISONS-LA.

C'EST BIEN !

ET VOUS FEREZ DES ÉCONOMIES.

CLIC

JE T'AVAIS DEMANDÉ DE GARDER LE BÉBÉ !

PUISQUE JE TE DIS QUE JE N'AI PAS D'ARGENT !

NOON ! ARRÊTE !

BOUM

MA PIÈCE DE 10 YENS...

67

CLING

MOI AUSSI.

JE RENTRE CHEZ MOI.

ELLE NE LÂCHE JAMAIS LA PROIE QU'ELLE TRAQUE.

ZUT !!

ELLE PENSE QUE C'EST TOI QUI AS LE PLUS DE CHANCES DE TE FAIRE GRONDER.

MAIS POURQUOI ME SUIT-ELLE ?

OUI ! JE VAIS ÉTUDIER !!!

NOBITA, TU FERAIS MIEUX DE...

TU DEVRAS FAIRE ATTENTION DE NE PAS TE FAIRE DISPUTER.

BOUM

TA CHAMBRE EST...

J'AI FAILLI ME FAIRE DISPUTER.

68

JE NE PEUX PAS ÊTRE TRAN- QUILLE.

ELLE EST EN DÉSORDRE ! JE LA RANGE TOUT DE SUITE !

NOBITA SE FAIT SÛREMENT DÉPOUILLER DE TOUT SON ARGENT.

JE SUIS SUR LE QUI-VIVE. JE NE DOIS PAS ME FAIRE DISPUTER ET PAYER UN GAGE.

BIP BIP

QUELQU'UN EST EN TRAIN DE SE FAIRE GRONDER.

BIP BIP BIP

CLIC

AH !

TU NE FAIS JAMAIS TON TOUR DE NETTOYAGE DE LA CLASSE ! C'EST INADMISSIBLE.

OUILLE ! C'EST CHAUD !

RENDS-MOI ÇA !

HÉ !

BOUM

ARRÊTE DE ME SUIVRE ! ALLEZ, OUSTE !

SUNÉO, AIDE-MOI.

AH ! ENCORE.

BIP BIP

JE VAIS POUVOIR RENTRER CHEZ MOI.

SI JE N'AI PAS D'ARGENT SUR MOI, JE N'AI PLUS PEUR DE ME FAIRE DISPUTER.

GARDE MON PORTE-MONNAIE AVEC TOI.

71

DES DORAEMON PARTOUT

DES DORAYAKIS !!!

MAIS...

EUH... OUI.

JE T'EN PRIE.

VAS-Y, MANGE. NE TE GÊNE PAS.

GLOUPS

QU'EST-CE QUE TU RACONTES ?

... JE NE PEUX PAS RÉSISTER.

... UNE FOIS CES DORAYAKIS SOUS LES YEUX...

J'AI UN MAUVAIS PRESSENTIMENT MAIS...

JE NE TROUVE PAS DE MOTS POUR TE REMERCIER ET T'EXPRIMER MON RESPECT.

C'EST JUSTE POUR TE PROUVER MA GRATITUDE. TU ES TELLEMENT GENTIL AVEC MOI.

QUAND DES CHOSES ARDUES OU EMBÊTANTES SE PRÉSENTENT, JE SAIS QUE TU VAS QUAND MÊME M'AIDER.

QUAND JE SUIS DANS L'EMBARRAS, C'EST TOUJOURS À TOI QUE JE PENSE.

TU ES REMARQUABLE !!!

... JE SUIS INCAPABLE DE REFUSER.

... C'EST VRAI, QUAND ON ME DEMANDE UN SERVICE...

C'EST BIZARRE DE DIRE ÇA MOI-MÊME, MAIS...

JE VAIS ME COUCHER À CÔTÉ POUR NE PAS TE DÉRANGER.

CROC
HÏ'
HÏ'
CROC

HAM HAM

パクッ
パクッ

JE COMPTE SUR TOI. BONNE NUIT.

JE COMPTE SUR TOI POUR FAIRE MES DEVOIRS.

J'AI ACCUMULÉ TROIS JOURS DE DEVOIRS ET C'EST À RENDRE POUR DEMAIN.

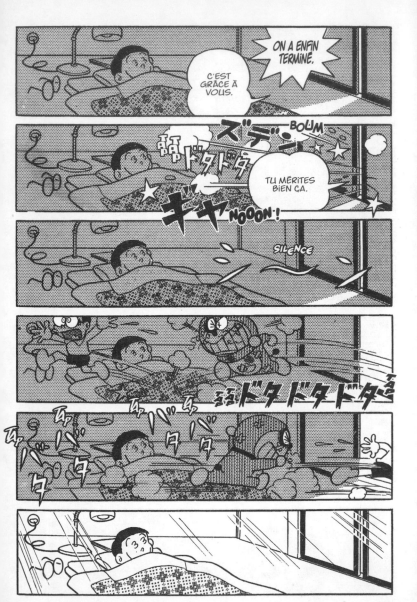

76

OH !
QUE S'EST-IL
PASSÉ ?

JE ME
DEMANDE
SI MES
DEVOIRS
SONT
FAITS ?

AAAF !
J'AI BIEN
DORMI.

BONJOUR,
DORAEMON.

MAIS NON,
JE ME SUIS FAIT
ÇA TOUT
SEUL !

J'APPELLE
LA POLICE
!!!

ON S'EST FAIT
CAMBRIOLER ?

QUI A FAIT
ÇA ?

ZZZZ

BTAM

JE VAIS
DORMIR.

J'AI FINI TES
DEVOIRS.

JE VAIS RÉSOUDRE CE MYSTÈRE.

ALLEZ !

... EN FAISANT JUSTE MES DEVOIRS ?

MAIS COMMENT S'EST-IL BLESSÉ AUTANT...

C'EST VRAI, TOUT EST FAIT.

JE VEUX VOIR, DE MES YEUX, CE QUI S'EST PASSÉ.

... GRÂCE À LA MACHINE DU TEMPS.

JE VAIS RETOURNER DANS LE MONDE D'HIER...

JE VAIS RÉGLER LE TEMPS À HIER SOIR, 21 HEURES.

ET VOILÀ !

IL N'A PAS L'AIR TRÈS MOTI-VÉ !

HMM... HM... HMM...

HMM...

PAS DE LOUP

PAS DE LOUP

JE N'ARRIVERAI JAMAIS À FAIRE ÇA TOUT SEUL.

C'EST HORRIBLE !!!

J'Y TROUVERAI DORAEMON DE 2 HEURES PLUS TARD.

SI JE ME RENDS 2 HEURES PLUS TARD DANS LE FUTUR.

JE N'AI QU'À FAIRE CELA À PLU-SIEURS !

JE VIENS D'AVOIR UNE IDÉE !

MAIS BIEN SÛR !

LES DORAEMON DE 6 HEURES ET DE 8 HEURES PLUS TARD VONT AUSSI M'AIDER.

JE VAIS 4 HEURES PLUS TARD DANS LE FUTUR ET JE ME RAMÈNE, MOI DORAEMON DE 4 HEURES PLUS TARD.

ET IL M'AIDERA AUSSI.

JE LE RAMÈNE ICI POUR QU'IL M'AIDE.

ALLONS-Y !

QUELLE IDÉE MERVEILLEUSE !

À CINQ, ON Y ARRIVERA TRÈS VITE.

TU PEUX BIEN T'AIDER TOI-MÊME QUAND MÊME !

JE T'EN SUPPLIE ! JE COMPTE SUR TOI.

J'AI SOMMEIL !

IL EST PLUS MALIN QUE JE LE CROYAIS.

JE VOIS...

DEVINE.

C'EST QUOI, TOUTES CES BLESSURES ?

LE DORAEMON DE 2 HEURES PLUS TARD

LE DORAEMON DE 2 HEURES PLUS TARD.

LE DORA 📺 DE 2 HEURES PLUS TARD

COMMENCE LES DEVOIRS.

JE VAIS RAMENER DU RENFORT.

JE NE SAIS PAS.

EUH...

LE DORA 📺 DE 2 HEURES PLUS TARD.

LE DORA 📺 DE 4 HEURES PLUS TARD.

JE VAIS ALLER CHERCHER LES DORAEMON DE 6 ET 8 HEURES PLUS TARD.

PITIÉ. J'AI SOMMEIL.

ALLEZ !

LE DORA- 📺 DE 4 HEURES TARD.

LE DORA 📺 DE 6 HEURES PLUS TARD.

ATTRAPEZ-LE !

LE DORA 📺 DE 4 HEURES PLUS TARD.

LE DORA 📺 DE 2 HEURES PLUS TARD.

HÉ ! TU VEUX TE SALIVER ?

J'EN AI ASSEZ !

ON DOIT TOUS S'Y METTRE !!!

C'EST DÉGOÛTANT DE TE SALIVER, DORAEMON DE 6 HEURES PLUS TARD !

D'ACCORD!!

RAMÈNE VITE LE DORAemon DE 8 HEURES PLUS TARD.

TERMINONS VITE LES DEVOIRS ET ALLONS NOUS COUCHER.

LE DORAemon DE 8 HEURES PLUS TARD.

LE MANQUE DE SOMMEIL LE REND IRRITABLE.

AAAH ! ASSASSIN !

JE VAIS TE DÉMOLIR !

LE DORAemon DE 4 HEURES PLUS TARD.

ARRÊTEZ ! C'EST RIDICULE DE SE BATTRE ENTRE DORAemon.

↑ LE DORAemon DE 8 HEURES PLUS TARD.

← LE DORAemon DE 6 HEURES PLUS TARD.

CE N'EST PAS ÇA !

IMBÉCILE ! C'EST COMME ÇA !

JE TE DIS QUE C'EST BON.

COMMENT FAIT-ON CET EXERCICE ?

VOUS POUVEZ TOUS RENTRER CHEZ VOUS ET VOUS REPOSER.

C'EST GRÂCE À VOUS.

ON A ENFIN TERMINÉ.

TU MÉRITES BIEN ÇA.

QU'EST-CE QUI SE PASSE ?

LE DORAEMON QUI VIENT DEMANDER DE L'AIDE.

ZZZ...

JE VAIS ME REPOSER.

C'EST PAS GRAVE PUISQUE J'AI FINI LES DEVOIRS.

JE SUIS VENU DU MONDE DE 2 HEURES AVANT CELLLI-CI.

QUI ES-TU ?

LE DORAEMON DE 2 HEURES AVANT.

LE DORAEMON QUI VIENT DEMANDER DE L'AIDE

HÉ ! RÉVEILLE-TOI !

DEUX HEURES PLUS TARD.

NON.

JE N'Y ARRIVERAI PAS SI TU NE M'AIDES PAS.

DANS MON MONDE, ON VA S'Y METTRE.

QUOI ? LES DEVOIRS ? MAIS ON VIENT DE LES TERMINER.

JE VAIS POUVOIR DORMIR.

J'AI ENFIN TERMINÉ.

C'EST DUR, CES ALLERS ET RETOURS.

CE N'EST PAS DRÔLE DU TOUT.

LE DORAEMON DE 4 HEURES AVANT.

DORAEMON DE 4 HEURES PLUS TARD, LÈVE-TOI !

4 HEURES PLUS TARD.

LE DORAEMON QUI VIENT DEMANDER DE L'AIDE.

IL RESTE ENCORE LES DORAEMON DE 6 HEURES ET DE 8 HEURES PLUS TARD.

ATTENDS !!

CETTE FOIS, J'AI TERMINÉ.

JE N'EN PEUX PLUS. JE VAIS MOURIR SI JE NE DORS PAS.

BIEN SÛR.

LAISSE-MOI ME CACHER ICI.

JE VAIS ME CACHER.

C'EST EMBÊTANT. JE NE PARVIENS PAS À FAIRE LES DEVOIRS.

IL N'EST PAS LÀ NON PLUS.

LE DORAEMON QUI VIENT DEMANDER DE L'AIDE.

TIENS ?

I.E. DORAEMON DE 6 HEURES PLUS TARD N'EST PAS LÀ.

JE TE DONNERAI D'AUTRES DORAYAKIS.

DÉSOLÉ, DORAEMON.

ALLEZ, VIENS M'AIDER.

QUOI ? ÇA, C'EST EMBÊTANT.

CA Y EST, IL A CRAQUÉ.

GRAAO

ARRÊTE !

LE DORAEMON QUI VIENT DEMANDER DE L'AIDE.

AIDE-MOI, AU LIEU DE DORMIR.

C'EST JUSTE POUR TE REMERCIER.

NOOON ! J'AI PEUR DES DORAYAKIS.

ON VA FAIRE LES DEVOIRS ENSEMBLE.

DORAEMON, JE M'EN VEUX TELLE-MENT.

JE SUIS DÉSO-LÉ.

Le vélo de la 4ᵉ dimension

VOUS ALLEZ FAIRE DU VÉLO ?

TU NE SAIS PAS MONTER À VÉLO, NOBITA.

ON Y A PENSÉ MAIS...

POURQUOI VOUS NE M'AVEZ PAS PROPOSÉ DE VENIR ?

JE VAIS LES SUIVRE.

ON T'INVITERA LORSQU'ON FERA UNE PROMENADE À PIED.

IL N'A PAS QUITTÉ LE CABANON DEPUIS QU'ON L'A ACHETÉ.

OÙ EST MON VÉLO ?

FAIRE DU VÉLO.

OÙ VAS-TU ?

TU AS ÇA ?

TU VEUX QUE JE SORTE UN VÉLO QUE TU PEUX MONTER ?

ILS VONT TOUS SE MOQUER DE MOI.

UN TRICYCLE !!!

AVEC ÇA, TU NE RISQUES PAS DE TOMBER.

ON PEUT VRAIMENT COMPTER SUR TOI.

TADAAN

CE N'EST PAS UN TRICYCLE ORDINAIRE. IL Y A UN RÉVEIL, UN THERMOMÈTRE, UN CALENDRIER ET UN TAILLE-CRAYON.

TU TE MOQUES DE MOI !

... À MONTER DESSUS.

JE NE TE FORCE PAS...

... SUR UN TRICYCLE ! C'EST RIDICULE.

... UN ÉCOLIER COMME MOI...

MAIS QUAND MÊME...

J'AI OUBLIÉ DE LEUR DEMANDER.

ALLONS-Y ! OÙ SONT-ILS PARTIS ?

NE TE FÂCHE PAS. EXCUSE-MOI.

... ET SUIVRE LEUR TRACE.

IL VA DÉTEC-TER LEUR ODEUR ...

APPUIE SUR LE 1er BOUTON.

CLIC

90

APPLIE SUR LE 3ᵉ BOUTON.

CLIC

VOILÀ POURQUOI JE NE VOULAIS PAS MONTER SUR UN TRICYCLE.

OH ! UN GRAND GARÇON SUR UN TRICYCLE !

ENCLENCHE LE LEVIER DE VITESSE.

ON EST DANS UN AUTRE MONDE, CELUI DE LA 4ᵉ DIMENSION.

CLIC

ZOOOM

IL A DISPARU.

ON VA HEURTER LA VOITURE !

NE T'INQUIÈTE PAS.

TU PARCOURS 100 MÈTRES À CHAQUE COUP DE PÉDALE.

C'EST TRÈS RAPIDE !

VIUUUM

CLIC

ENCLENCHE LA VITESSE SUPÉRIEURE.

ON EST DANS LA 4ᵉ DIMENSION, ALORS ON PASSE AU TRAVERS.

J'AIMERAIS MONTRER ÇA À SUNÉO ET AUX AUTRES.

MAINTENANT, ON A ATTEINT LA VITESSE D'UN AVION.

VIIIIIM

APPAREMMENT, C'EST ICI QUE LES AUTRES VOULAIENT VENIR.

SUNÉO ET GIANT SE SONT MOQUÉS DE MOI.

ET JE LEUR CLOUERAI LE BEC.

JE VAIS LES RATTRA-PER ET LEUR MONTRER ÇA.

ON VA S'APPROCHER D'EUX ET ON SE MONTRERA D'UN COUP.

ILS SONT LÀ !

ÉCOUTE-LES !

IL N'A VRAIMENT PAS DE CHANCE.

DIRE QUE NOBITA N'A PAS PU VENIR DANS UN SI BEL ENDROIT.

NON, C'EST IMPOSSIBLE.

ÇA NE MARCHE PAS.

CLIC CLIC

CLIC

APPUIE SUR LE 5ᵉ BOUTON.

JE VAIS ME MONTRER. COMMENT FAIT-ON POUR REVENIR DANS LA 3ᵉ DIMENSION ?

HÉ ! CE N'EST PAS ENCORE RÉPARÉ.

OUI. ÇA FAIT LONGTEMPS QUE JE NE M'EN ÉTAIS PAS SERVI.

C'EST UNE PANNE ?

TU N'ARRIVES VRAIMENT PAS À LE RÉPARER ?

ILS SONT REPARTIS.

ET SI ON RENTRAIT ?

FINALEMENT, ON EST REVENUS ICI EN RESTANT INVISIBLES.

LE SOLEIL VA SE COUCHER. ON LE RÉPARERA À LA MAISON.

C'EST RÉPARÉ !

DOMMAGE QU'ILS NE VOIENT PAS QUE JE LES DÉPASSE.

QU'IL EST MIGNON !

HÉ ! TU FAIS DU TRICYCLE ?

AH OUI ?

C'EST TOUT CE QUI ME RESTE DE MON ARGENT DE POCHE DE CE MOIS-CI.

J'AI BEAU RECOMPTER, UNE PIÈCE NE FAIT QU'UNE PIÈCE.

?

UN... UN... UN...

CE SERAIT BIEN MAIS...

JE SUIS SÛR QU'IL Y A PLEIN DE TRÉSORS ENFOUIS DANS LE SOL.

T'AURAIS PAS UN GADGET POUR TROUVER UN TRÉSOR ?

JE VOULAIS TE DEMANDER UN CONSEIL, DORAMI.

MAIS ELLE A UN DÉFAUT. ELLE EST TROP SÉRIEUSE.

DORAMI EST QUELQU'UN DE BIEN.

L'ARGENT, ÇA SE GAGNE SOI-MÊME EN TRAVAILLANT.

... JE N'AIME PAS CES HISTOIRES DE TRÉSORS CACHÉS.

AH OUI ? PARFAIT !

JE L'AI ENTERRÉ POUR QUE TU NE SACHES PAS OÙ C'EST.

97

C'EST ÉTONNANT. CES FILS DE FER S'OUVRENT QUAND ILS SURVOLENT LA CHOSE CACHÉE.

SUR-PRE-NANT !!

BIEN JOUÉ !!!

TU AS CACHÉ CE TUYAU DE FER, C'EST ÇA ?

TU N'AS QU'À LIRE CET ARTICLE.

C'ÉTAIT DANS LE JOURNAL !

C'EST STUPIDE. ON NE PEUT RIEN TROUVER AVEC DES FILS DE FER !

HA HA HA !!!

UN EMPLOYÉ DES TRAVAUX PUBLICS DE LA VILLE DE MUSASHI MURAYAMA A DÉCLARÉ : "LES INCRÉDULES QUI NE NOUS CROIENT PAS N'ONT QU'À VENIR VOIR SUR LE CHANTIER..."

L'EXPLICATION SCIENTIFIQUE N'EST PAS ENCORE CLAIREMENT ÉTABLIE MAIS CETTE TECHNIQUE PERMET DE DÉTECTER À 100% DES OBJETS ENFOUIS JUSQU'À SIX MÈTRES DE PROFONDEUR. C'EST AINSI QU'ONT ÉTÉ RETROUVÉES DES BOMBES INTACTES DATANT DE LA DERNIÈRE GUERRE.

AVEC DEUX FILS DE FER, VOUS POUVEZ TROUVER EXACTEMENT L'ENDROIT OÙ UN OBJET EST ENFOUI DANS LA TERRE. CELA PARAÎT INCROYABLE, MAIS LA VILLE DE MUSASHI MURAYAMA A UTILISÉ CETTE TECHNIQUE POUR SES TRAVAUX DE CANALISATION ET A OBTENU D'EXCELLENTS RÉSULTATS.

REMARQUE : CECI EST UN EXTRAIT DU JOURNAL TOKYO SHINBUN. L'AUTEUR

50 CM   30 CM

TENIR CES DEUX FILS DE FER À L'HORIZONTALE

D'ACCORD.

TU PEUX RECOMMENCER ? JE VAIS ENTERRER UNE PIÈCE DE 100 YENS.

C'EST JUSTEMENT POUR ÇA QUE JE M'ENTRAÎNE.

SI C'EST VRAI, ON PEUT FAIRE UNE CHASSE AU TRÉSOR !

C'EST SURPRENANT !

VAS-Y ! DEVINE OÙ JE L'AI ENTERRÉE.

COMPTE SUR MOI !

NE REGARDE PAS.

ÇA EN PREND DU TEMPS !

TEKU TEKU
TEKU
TEKU

TOKO TOKO
TEKU
TEKU
TOKO

RENDS-LA-MOI !

CETTE PIÈCE REPRÉSENTE TOUTE MA FORTUNE !

JE PENSE QUE ÇA NE RÉAGIT PAS À UNE PIÈCE DE 100 YENS. IL EN FAUDRAIT AU MOINS POUR 10 000 YENS*.

* ENVIRON 66,79 EUROS.

JE N'ARRIVE PAS À RENONCER À MA PIÈCE DE 100 YENS.

OH ! IL EST VRAIMENT VIOLENT.

IL M'A DIT : "LA FERME !" ET M'A FRAPPÉ.

OÙ AS-TU ENTERRÉ TA PIÈCE DE 100 YENS ?

LE "FIL DE FER CREUSE ICI" !

CLING

JE NE ME SOUVIENS PLUS DU TOUT.

ELLE EST LÀ !

LA FORME D'UNE PIÈCE DE 100 YENS.

IL DIT QUE C'EST ICI.

ALORS, ON PEUT FAIRE UNE CHASSE AU TRÉSOR !

MÊME SI C'EST VRAIMENT TRÈS PROFOND ?

PLUS ON FROTTE LE FIL, PLUS IL EST CAPABLE DE DÉTECTER DES CHOSES ENFOUIES EN PROFONDEUR.

CLANG

QU'EST-CE QUE ÇA PEUT FAIRE ? ÇA NE VA PAS L'USER.

VOILÀ, TU RECOMMENCES !

UNE VILLE ?

ON DIRAIT LA FORME D'UNE VILLE.

IL Y A UNE VILLE ENFOUIE DANS LE SOL ?

OH ! QU'EST-CE QUE C'EST ?

CE N'EST PAS AVEC ÇA QU'IL FAUT CREUSER.

TU AS RAISON.

ALLONS VOIR ! CE SERA UNE GRANDE DÉCOUVERTE.

"LA VOITURE POUR EXPÉDITION SOUTERRAINE" !

TAPAAAN

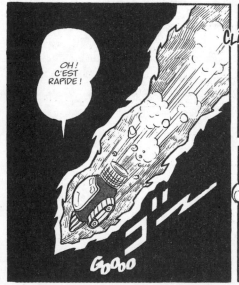

OH ! C'EST RAPIDE !

GOOOO

C'EST PARTI !

CLIC

ON NE VOIT ENCORE RIEN.

50 MÈTRES...

60... 70...

VZ-zz カ゛ー

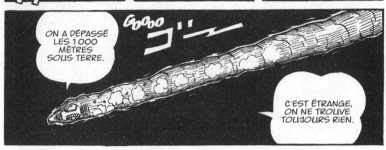

ON A DÉPASSÉ LES 1000 MÈTRES SOUS TERRE.

GoOoo ゴ゛ー

C'EST ÉTRANGE, ON NE TROUVE TOUJOURS RIEN.

NE DIS PAS DES CHOSES COMME ÇA.

IL PARAÎT QU'ILS ATTRAPENT LES HABITANTS DE LA SURFACE ET LES DÉVORENT !

J'AI DÉJÀ LU ÇA DANS UN MANGA.

CE SONT SÛREMENT DES HABITANTS DES PROFONDEURS !

CLic カチッ カチッ CLic

HEIN?

RENTRONS !

OH! ON A DÉPASSÉ LES 5000 MÈTRES DE PROFONDEUR.

ON NE PEUT PLUS RECULER !

LE BOUTON DE MARCHE ARRIÈRE NE FONCTIONNE PAS !

SI ÇA CONTINUE, ON VA ARRIVER AU CENTRE DE LA TERRE !

VIIIIIM

ARRÊTE-LÀ !!

OH ! ON A PERDU LE CONTRÔLE DE LA MACHINE !

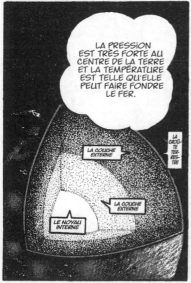

LA PRESSION EST TRÈS FORTE AU CENTRE DE LA TERRE ET LA TEMPÉRATURE EST TELLE QU'ELLE PEUT FAIRE FONDRE LE FER.

LA CROÛTE TERRESTRE

LA COUCHE EXTERNE

LA COUCHE EXTERNE

LE NOYAU INTERNE

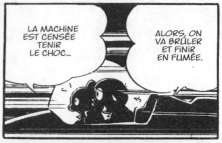

HEIN ?

IL FAIT FRAIS ET SOMBRE.

LA MACHINE S'EST ARRÊTÉE.

JE ME DEMANDE OÙ ON EST. TU VEUX BIEN ALLUMER LES PHARES ?

CE SONT SÛREMENT LES HOMMES QUI SE SONT FAIT DÉVORER PAR LES HABITANTS DE CES LIEUX.

J'AI PEUR !

REGARDE !!!

GRRRR

AAAH ! SAUVONS-NOUS !!!

BAM BAM

VIIIIM

109

MÊME SI ELLE PRATIQUAIT DES SACRIFICES BARBARES.

C'EST UN PEUPLE QUI A BÂTI AUTREFOIS UNE MAGNIFIQUE CIVILISATION AU MEXIQUE.

MAYAS ?

IL PARAÎT QU'ON A RETROUVÉ DES RUINES MAYAS SOUS TERRE.

OH !

ON A DONC TRAVERSÉ LE CENTRE DE LA TERRE ET ON S'EST RETROUVÉS DE L'AUTRE CÔTÉ DU GLOBE ?

HEIN ?

VOICI UNE PHOTO.

JOURNAL

ILS SE DEMANDENT SI CE N'ÉTAIENT PAS DES HABITANTS DU MONDE SOUTERRAIN. ÇA M'ÉTONNERAIT... HAHAHA !

IL EST ÉCRIT QUE LES ARCHÉOLOGUES ONT VU DEUX OMBRES S'ENFUIR QUAND ILS SONT ARRIVÉS.

La cape Olé

VAS-Y ET PRENDS ÇA AVEC TOI.

JE SUIS EMBÊTÉ.

FONCE SUR MOI !

C'EST QUOI, CETTE CAPE ?

COMME ÇA ?

ET LA PERSONNE SERA ÉJECTÉE SUR LE CÔTÉ ?

SI QUELQU'UN VEUT T'ATTAQUER, TU N'AS QU'À BOUGER CETTE CAPE...

RAAAAON !!!

BOUGE LA CAPE, VITE !

LE VOILÀ !!!

BRAVO !

GOOOM

116

C'EST ÉTRANGE.

JE N'ARRIVE PAS À RENTRER À LA MAISON...

Fabriquons des badges

CE SONT TOUS TES BADGES, SUNÉO ?

SACRÉE COLLECTION !

MAIS JE SUIS LA 3ᵉ.

JE N'EN AI QUE 6.

J'EN AI 18. JE SUIS DONC LE SECOND.

Y A RIEN À DIRE, JE SUIS LE PREMIER.

J'EN AI 63.

TOUS LES TROIS, ON VA FAIRE LA COMPÉTITION.

MOI AUSSI, JE VAIS EN COLLECTIONNER PLUS.

JE VAIS TOUT FAIRE POUR ÊTRE LE PREMIER.

J'AI UN BADGE ET JE SUIS LE 4ᵉ.

JE VEUX DES BADGES !

119

CE SONT DES BADGES QUE JE VEUX.

TU EN AS ?

CET APPAREIL TRANSFORME TOUT CE QU'IL SAISIT EN BADGES.

ON DIRAIT UN VRAI.

JE VAIS D'ABORD FABRIQUER DES BADGES DE MONSTRES.

MERCI, DORAEMON.

TU POURRAS FABRIQUER DES CENTAINES DE BADGES.

OH ! ÇA SE FABRIQUE TRÈS VITE.

Encyclopédie LES MONSTRES

LISEZ DES MANGAS !

ON VA FAIRE AUSSI DES BADGES MANGAS.

BONNE IDÉE.

FABRIQUONS AUSSI DES BADGES D'INSECTES ET D'ANIMAUX.

ANIMAUX

INSECTES

OUAAH !!!

CE SONT TOUS DES BADGES ?

QUE DITES-VOUS DE ÇA ?

SI TU NE NOUS CROIS PAS, ON VA FABRIQUER DES BADGES DORAeMON ET NOBiTA.

TU MENS. C'EST IMPOSSIBLE.

TU LES AS FABRIQUÉS AVEC CET APPAREIL PHOTO ?

... iL NOUS PREND AUTOMATIQUEMENT EN PHOTO.

GRÂCE AU DÉCLENCHEUR AUTOMATIQUE...

MOI AUSSI.

JE VAIS ME CHANGER.

C'EST VRAI ?

SI ON FABRIQUAIT AUSSI DES BADGES À VOTRE EFFIGIE ?

HEIN ?

NOUS VOILÀ.

122

123

C'ÉTAIT DÉJÀ DUR DE RESTER DEBOUT... ALORS, IMPOSSIBLE DE NAGER !

IL Y AVAIT VRAIMENT DU MONDE.

ON VOYAIT À PEINE L'EAU ENTRE LES GENS.

ON RENONCE ?

ÇA NE DONNE PAS ENVIE.

MOI QUI VOULAIS Y ALLER.

TU DIS ÇA MAIS TU FAIS PARTIE DE CEUX-LÀ !

DE NOS JOURS, LES JAPONAIS PENSENT TROP À S'AMUSER.

SI SEULEMENT IL Y AVAIT UNE PISCINE OÙ ON POUVAIT NAGER À SON AISE.

Ma piscine est aussi grande que l'océan Pacifique

C'ÉTAIT TROP BEAU.

TU VAS ME SORTIR UNE PIS- CINE ?

Viuuu

ゴクン AAM
パクリ AAM

PRENDS- EN UN, POUR VOIR.

QUOiiiii ?

MAIS ! MAIS !

MAIS...

QUE S'EST-IL PASSÉ ?

HAAH... HAAH...

QU'EST- CE QUE ÇA VEUT DIRE ?

HÉ ! DORAemon !!!

126

Vijuu

HAMII
7

SI TU PRENDS CELLI-CI, TOUT REDEVIENT COMME AVANT.

J'AI AU MOINS COURU 100 MÈTRES POUR VENIR JUSQU'À TOI.

MAIS LA CHAMBRE S'EST VRAIMENT AGRANDIE ! UNE IMPRESSION ?

TU AS EU L'IMPRESSION QUE LA PIÈCE S'ÉTAIT AGRANDIE, NON ?

ALORS ? QUE DIS-TU DE L'EFFET DE LA PILULE "CINÉRAMA" ?

OUAIS !!

ALORS... PST PST TU VOIS ?

EN RÉALITÉ, TU FAISAIS DU SUR-PLACE.

C'ÉTAIT JUSTE UNE IMPRESSION.

OÙ EST-CE ?

CHEZ MOI.

J'ARRIVE TOUT DE SUITE.

COMMENT ? UNE PISCINE OÙ IL N'Y A PERSONNE ?

IL N'Y A PERSONNE.

?

C'EST UNE GRANDE PIS-CINE.

JE NE ME MOQUE PAS DE TOI ! C'EST LA VÉRITÉ.

ATTENDS ! TU AS MAL COMPRIS.

ON VA Y ENTRER ENSEMBLE.

MAIS C'EST UNE BAIGNOIRE.

ON VA TOUS PRENDRE CE MÉDICAMENT.

C'EST ÉTRANGE.

OH !

ALORS ? C'EST FOU, NON ?

OUIII !

IL Y A DE LA PASTÈQUE FRAÎCHE !

LES EN- FANTS !!!

HÉ !

ATTENDEZ- MOI !

JE NE PEUX PLUS AVANCER ! BLOP BLOP...

JE ME DEMANDE COMBIEN DE KILOMÈTRES IL Y A JUSQU'À LA RIVE...

HAAH... HAAH...

QUE FAIT NOBITA ?

Le vaporisateur qui montre la suite

JE N'EN SUIS PAS CAPABLE.

... C'EST PAS CONVAINCANT.

J'AI BEAU REDESSINER...

C'EST LE VAISSEAU DE GUERRE YAMATO.

TU RENONCES AUSSI VITE ! TU ES VRAIMENT UN HOMME ?

"TU N'EN ES PAS CAPABLE" ?

TU VOULAIS LE DESSINER AVANÇANT VAILLAMMENT DANS LES FLOTS.

MAIS TU L'AS DIT TOI-MÊME.

C'EST SÛR ! TU N'EN ES PAS CAPABLE.

HA HA HA !!

TU AS FINI ?

ÇA VA ?

DESSINE JUSTE L'AVANT DU BATEAU. APPLIQUE-TOI LE PLUS POSSIBLE.

ET JE VAPORISE.

... LE "VAPORISATEUR QUI MONTRE LA SUITE" !

ET LÀ, JE SORS...

MAIS... MAIS...

HEIN ?

LE "VAPORISATEUR QUI MONTRE LA SUITE" PERMET DE MONTRER LA SCÈNE QUI SUIT UNE IMAGE.

WAOUH!!!

IL FAUDRAIT UNE MAISON OÙ IL Y A PLEIN DE DESSINS.

J'AI ENVIE DE LE TESTER SUR PLEIN DE CHOSES.

JE N'AURAIS PAS DÛ REGARDER.

ON EST PRENEURS.

CE SONT DES REPRODUCTIONS MAIS NÉANMOINS DES BELLES PIÈCES.

ALLONS CHEZ MONSIEUR PARVENU.

VRAIMENT ? VOUS VOULEZ VOIR MES TABLEAUX ?

SI ON COMMENÇAIT PAR ÇA.

PRENEZ VOTRE TEMPS POUR REGARDER.

JE VAIS NOUS PRÉPARER UN THÉ.

ELLE A VIEILLI.

HA HA HA !!!

UNE AVERSE !

ESSAYONS SUR CETTE STATUE.

IL VAUT MIEUX FAIRE ÇA À LA MAISON.

HAAAAH!

QU'EST-CE QUE VOUS FAITES ?

J'AI CACHÉ MES ÉCONOMIES DERRIÈRE CE TABLEAU

L'oreiller somnolent

ON REPREND L'ÉCOLE, AUJOURD'HUI. TRALALA LALA !

JE ME SUIS LEVÉ SEUL, SANS QU'ON ME RÉVEILLE. QUELLE SENSATION AGRÉABLE !

OUI. JE LES AI TERMINÉS.

TU AS FINI TES DEVOIRS D'ÉTÉ* ?

* AU JAPON, LA RENTRÉE EST EN AVRIL. DONC, APRÈS LES GRANDES VACANCES, ON EST TOUJOURS DANS LA MÊME CLASSE.

C'EST BIZARRE.

JE VAIS RÉVISER.

JE SUIS PRÊT, MAIS IL ME RESTE ENCORE DU TEMPS.

TU ES PEUT-ÊTRE EN TRAIN DE RÊVER ?

CELA NE TE RESSEMBLE PAS, NOBITA.

IL EST IMPOSSIBLE QUE LES CHOSES AILLENT SI BIEN.

IL TE RESTE PLEIN DE DEVOIRS À TERMINER.

ON EST LE DERNIER JOUR DES GRANDES VACANCES.

AH ! C'ÉTAIT DONC UN RÊVE.

RÉVEILLE-TOI.

HÉ ! RÉVEILLE-TOI.

OUIIIIIIN !

DORAEMON ! SI TU N'AVAIS PAS MIS TON GRAIN DE SEL...

TOUT SE PASSAIT SI BIEN DANS MON RÊVE !

MAIS NON ! J'AI TOUT TERMINÉ... OH NON ! RIEN N'EST FAIT.

L'OREILLER SOMNOLENT ?

DANS CE CAS, ON VA INTERVERTIR LE RÊVE ET LA RÉALITÉ GRÂCE À "L'OREILLER SOMNOLENT".

VRAIMENT ? JE SUIS DÉSOLÉ.

J'ESPÈRE QUE JE VAIS RÉUSSIR À VOIR LA SUITE DE MON RÊVE.

SI ON DORT SUR CET OREILLER, LES RÊVES DEVIENNENT RÉALITÉ ?

Z_ZZ_z

C'EST VRAI ! MES DEVOIRS SONT FAITS.

TOUT EST EXACTEMENT COMME TOUT À L'HEURE.

C'EST VRAIMENT LA SUITE DE MON RÊVE ?

JE VAIS À L'ÉCOLE.

OH ! MINCE !

BONJOUR !

JE PENSAIS QU'ON ÉTAIT EN RETARD EN TE VOYANT ARRIVER.

SI ON NE SE DÉPÊCHE PAS, ON VA ÊTRE EN RETARD.

POURQUOI TU COURS ?

OUI !

OUI !

AVEZ-VOUS FAIT VOS DEVOIRS ?

JE SUIS CONTENT DE VOUS REVOIR TOUS EN FORME.

BONJOUR À TOUS !

SI, JE LES AI FAITS.

NOBITA ! JE SUPPOSE QUE TU N'AS PAS ENCORE FAIT TES DEVOIRS ?

QUOI ?

ALORS, VA AU PIQUET COMME D'HABITUDE.

MAIS JE LES AI FAITS.

CEUX QUI N'ONT PAS FAIT LEURS DEVOIRS DOIVENT ALLER AU PIQUET.

142

MAIS SI TOUT EST FAUX, ÇA NE SERT À RIEN.

JE SUIS DÉSOLÉ. J'ÉTAIS PERSUADÉ QUE TU N'AVAIS PAS FAIT TES DEVOIRS.

QUELQU'UN A DÛ LES FAIRE POUR LUI.

C'EST INCROYABLE.

TU ES SÛR QUE ÇA VA ?

OH... TOUT EST CORRECT.

MAIS... OÙ VAS-TU ?

ALORS RENDORS-TOI.

JE PRÉFÉRAIS COMME C'ÉTAIT AVANT.

C'EST TRÈS DÉSA-GRÉABLE.

FAIS DODO, COLAS MON PETIT FRÈRE...

SI TU NE DORS PAS, ON NE PEUT PAS INTERVERTIR LES MONDES.

JE N'AI PAS SOMMEIL.

JE SUIS OBLIGÉ DE LES FAIRE.

OUI. ET IL TE RESTE TOUS TES DEVOIRS À TERMINER.

ON EST LE DERNIER JOUR DES GRANDES VACANCES ?

JE SAIS.

SI TU NE FAIS AUCUNE ERREUR, ILS VONT TROUVER ÇA LOUCHE.

HMM... HMM...

DE TOUTE FAÇON, C'EST IMPOSSIBLE QUE JE NE FASSE AUCUNE ERREUR.

C'EST POSSIBLE MAIS...

ON NE PEUT PAS ARRANGER LES RÊVES COMME ON LE VEUT ?

TU CHANGES D'AVIS COMME DE CHE-MI-SE !!

JE PRÉFÉRAIS QUAND MÊME LE MONDE DE TOUT À L'HEURE.

J'AIMERAIS VIVRE DANS UN TEL MONDE.

... QUE TOUT LE MONDE ME RESPECTE.

JE VOUDRAIS ÊTRE TRÈS INTELLIGENT...

FAIS DODO, COLAS MON PETIT FRÈRE...

JE VAIS RÉGLER L'OREIL-LER.

JE VAIS EMMENER L'OREILLER AU CAS OÙ.

VOILÀ, C'EST BON.

JE SUIS TOUJOURS ÉBAHI...

OOOOOH !

... PAR VOTRE INTELLIGENCE, NOBITA.

C'EST UN PEU EXAGÉRÉ.

DEVENEZ PROFESSEUR CHEZ NOUS...

IL EST DOMMAGE QU'UN GÉNIE TEL QUE VOUS SOIT UN ÉLÈVE, NOBITA.

BUREAU DU DIRECTEUR

ABSOLUMENT PAS. C'EST TOUT À FAIT COMPRÉHENSIBLE.

L'ÉCOLE ME PARAÎT INUTILE. J'ARRÊTE. ÇA VOUS DÉRANGE ?

OÙ ALLEZ-VOUS ?

C'EST VRAIMENT LUI !

OH ! C'EST NOBITA !

AU REVOIR...

ÉCOLE

C'EST REGRETTABLE QUE VOUS NOUS QUITTIEZ...

REVENEZ NOUS VOIR.

IL EST BEAU.

REGARDE-LE MARCHER !

JE FONDS...

QU'EST-CE QU'IL EST BEAU QUAND IL TOMBE !

IL EST TOMBÉ !

JUSTE UN PEU.

VOUS VOULEZ BIEN JOUER AU BASE-BALL AVEC NOUS ?

EUH... NOBITA...

OUI... JE ME PERMETS DE VOUS LANCER LA BALLE.

DÉPÊCHE-TOI DE LANCER !

CLIIING

PSHHH...

OH ! NOBITA A ENCORE ENVOYÉ LA BALLE TRÈS HAUT !!

JE SUIS ENTRAÎNEUR PROFESSIONNEL. REJOIGNEZ L'ÉQUIPE DES YOMEIRI GIANTS !

C'EST LA 1 000e BALLE.

ÇA DEVIENDRA UN SATELLITE !

IMPRES-SION-NANT !

148

NOBITA !

LE VOILÀ ENFIN !

ÇA NE M'INTÉRESSE PAS.

JE VOUS PROPOSE UN CONTRAT DE 100 MILLIONS DE YENS*.

* ENVIRON 668 187,30 EUROS.

B O N J O U R

BONJOUR !!

AUJOURD'HUI, JE NE DONNE PAS DE CONFÉRENCE DE PRESSE.

JE DOIS TERMINER MA FUSÉE POUR ALLER SUR MARS.

LE PREMIER MINISTRE VEUT TE VOIR.

AUJOURD'HUI, JE SUIS OCCUPÉ.

UNE PROCHAINE FOIS, PEUT-ÊTRE.

MAIS ACTUELLEMENT, CE MONDE EST MA RÉALITÉ.

QUAND LE RÊVE EST AUSSI EXAGÉRÉ, C'EST PAS DRÔLE.

NOUS ALLONS VOUS EMMENER CHEZ NOUS AFIN QUE VOUS CONSTRUISIEZ UNE ARME SECRÈTE.

NOUS SOMMES DES ESPIONS ÉTRANGERS.

HEIN ? MAIS QUI ÊTES-VOUS ?

AAH ! JE PRÉFÈRE QUE CE MONDE SOIT UN RÊVE.

SI VOUS REFUSEZ, ON VOUS TUE.

SÛREMENT PAS ! C'EST HORS DE QUESTION !

EUH... EXCUSEZ-MOI...

VOUS POUVEZ ME CHANTER UNE BERCEUSE ?

JE N'ARRIVE PAS À DORMIR.

ZZZ...

IL NOUS EMBÊTE. ENDORMONS-LE !

DORAemon !!!

JE ME DEMANDE OÙ EN SONT MES DEVOIRS...

C'ÉTAIT MOINS UNE !

DANS CE MONDE...

LÈVE-TOI !

LÈVE-TOI !

QUEL MONDE EST RÉEL ?

EN PLUS, ON N'EN EST QU'À LA MOITIÉ DES GRANDES VACANCES.

HEIN ? JE N'AI JAMAIS ENTENDU PARLER DE CET OREILLER !

MATHS

JE NE LES AI PAS FAITS !

DEVOIRS

DE QUOI PARLES-TU ?

VITE ! L'OREILLER SOMNOLENT !

SI TU ES UN HOMME, TU DOIS LUI RENDRE LA PAREILLE !

IL T'A FAIT ÇA ET TU ES REVENU SANS BRONCHER ?

VOILÀ CE QUI S'EST PASSÉ.

HAHAHA ! TU ME CHATOUIL-LES !

PRÊTE-MOI QUELQUE CHOSE POUR DEVENIR PLUS FORT.

MAIS J'AI SI PEUR !

QUEL QUE SOIT L'ADVERSAIRE, SI TU LE TOUCHES, IL SERA PROJETÉ DANS LES AIRS.

ON DEVIENT FORT RIEN QU'EN PORTANT UNE CEINTURE ?

?

TU VEUX ESSAYER ÇA ?

C'EST LA "CEINTURE NOIRE" POUR DEVENIR BON EN JUDO.

NE ME TOUCHE PAS.

MERCI, DORAemon !

EH OUI !!

AVEC ÇA, JE VAIS POUVOIR ME VENGER DE GIANT.

QUAND TU TOUCHES QUELQU'UN, TU LE PROJETTES AUTOMATIQUEMENT.

GIANT EST...

... MON SEUL OBJECTIF.

JE FERAI ATTENTION.

TU NE DOIS TOUCHER PERSONNE HORMIS CELUI DONT TU VEUX TE VENGER.

HÉ ! SI ON FAISAIT DU JUDO ?

LE VOILÀ !

TU ES TROP FAIBLE. ÇA NE M'INTÉRESSE PAS.

VIENS, JE T'ATTENDS !

QU'EST-CE QU'IL FAIT ?

SLUP...

C'EST MOI QUI VIENS À TOI !

ALORS...

ÇA VA, NOBITA ?

ATTENDS ! AÏE AÏE... ZUT !

ET VOILÀ ! JE TE L'AVAIS DIT.

JE VEUX JUSTE T'ÉPOUS- SETER.

NE ME TOUCHE PAS !

MAÎTRE ! NE ME TOUCHEZ PAS, C'EST DANGEREUX.

JE NE SAIS PAS COMMENT ME FAIRE PARDONNER.

COMMENT OSES-TU FAIRE DU MAL À UNE FILLE ?

JE VOUS L'AVAIS DIT.

TU MENACES TON MAÎTRE, MAINTENANT ?

NE ME TOUCHEZ PAS !

GRRR !
PITIÉÉÉ !

JE VAIS ENLEVER CETTE MAUDITE CEINTURE.

PFFF ! PFFF ! HAAH ! HAAH !

157

158

TIENS, LA VOILÀ.

OÙ EST DONC PASSÉE TON OBI* ?

IL N'EST PAS LÀ ?

DORAEMON, JE TE RENDS TA CEINTURE NOIRE.

* CEINTURE POUR KIMONO.

IL L'A FAIT !

TU DOIS ATTENDRE QU'ELLE SE DÉTACHE TOUTE SEULE.

QUOI ? CETTE OBI EST SI DANGE-REUSE ?

JE N'ARRIVE PAS À L'ENLEVER. ELLE EST ATTACHÉE BIZAR-REMENT.

JE VAIS L'ÔTER TOUT DE SUITE.

LE JOURNAL !!!

VLAN

JE VOUS ATTENDAIS !

AUJOURD'HUI, C'EST LE JOUR DES RÉSULTATS DE LA LOTERIE.

FLAP パ ラ パ ラ FLAP

HM ? C'EST ÉTRANGE.

EUH... MON BILLET DE LOTE-RIE...

Billet gagnant à la loterie

C'EST VRAI !
J'AVAIS OUBLIÉ MA PROMESSE...

PROMETS-MOI QUE TU N'ACHÈTERAS PLUS JAMAIS DE BILLET DE LOTERIE !

CE SONT TOUS TES BILLETS PERDANTS DE LA LOTERIE. IL Y EN A POUR 50 000 YENS* !

* ENVIRON 334,17 EUROS.

QUEL GÂCHIS !

CE SONT TOUS DES BILLETS PERDANTS ?

C'EST PARCE QUE JE N'EN AI PAS ACHETÉ, QUE JE N'AI PAS DE BILLET.

C'EST VRAI ?

JE N'EN AI PAS ACHETÉ CETTE FOIS.

C'EST VRAI.

CE SERAIT DIFFÉRENT SI ON CONNAISSAIT LES NUMÉROS GAGNANTS.

C'EST VRAI.

MAIS C'EST RARE DE GAGNER.

Si ON LES CONNAISSAIT DÈS LE DÉBUT...

1er : 6 MILLIONS DE YENS*. N° 77863...

* ENVIRON 40 095,83 EUROS.

POUR-QUOI ?

NON ! TU NE PEUX PAS FAIRE ÇA.

JE VAIS ACHETER CE BILLET LE JOUR DE LA MISE EN VENTE.

LA "MACHINE DU TEMPS" !!!

NON, C'EST NON !

JUSTE UNE FOIS !

NE SOIS PAS SI RIGIDE.

ON N'A PAS LE DROIT D'UTILISER LA MACHINE DU TEMPS POUR GAGNER DE L'ARGENT. C'EST ILLÉGAL.

HMM...

C'EST POUR MON PAUVRE PAPA.

RÉCUPÉRONS JUSTE LES 50 000 YENS PERDUS PAR MON PÈRE.

JE VEUX JUSTE RÉCUPÉRER NOTRE MISE.

SI ON NE GAGNE PAS D'ARGENT, ÇA VA ?

C'EST LÀ QU'ON VEND LES BILLETS. REGARDE TOUS CES HOMMES CUPIDES QUI EN ACHÈTENT.

TU ES AUSSI CUPIDE QU'EUX.

ON RETOURNE 2 SEMAINES EN ARRIÈRE.

J'ESPÈRE QUE LE BILLET GAGNANT N'EST PAS ENCORE VENDU.

IL SUFFIT DE REGARDER CE MORCEAU DE PAPIER !

?

JE NE SAIS PAS QUEL EST CE BILLET.

CELUI QUI ME RAPPORTERA 50 000 YENS.

LEQUEL VOULEZ-VOUS ?

JE VOUDRAIS UN BILLET DE LOTERIE.

VOUS N'AVEZ PAS NON PLUS CELUI DE 500 000* NI CELUI D'UN MILLION ?

JE NE L'AI PAS.

DANS CE CAS, LE 42250 QUI FAIT 100 000 YENS.

JE NE LES AI PAS.

LE 65265 OU LE 35696.

* ENVIRON 3 339,93 EUROS.

ARRÊTE DE DIRE N'IMPORTE QUOI !!

VOUS N'AVEZ QUE DES BILLETS PERDANTS !

* 6 MILLIONS.

ON S'EN FICHE, ON L'ACHÈTE QUAND MÊME !

MAIS LÀ, ON GAGNERAIT TROP D'ARGENT, NON ?

?

6 MILLIONS !!

C'EST... C'EST BIEN CE BILLET !

AUTANT RENONCER UNE FOIS POUR TOUTES. DISONS QU'ON N'A PAS EU DE CHANCE D'ÊTRE ARRIVÉS JUSTE APRÈS.

C'EST BIEN, CE QUE TU DIS.

L'ARGENT, ÇA SE GAGNE EN TRAVAILLANT.

C'ÉTAIT UNE ERREUR DE VOULOIR GAGNER DE L'ARGENT À LA LOTERIE.

... ON VA ALLER JUSTE AVANT L'ACHAT DU BILLET.

AVEC LA MACHINE DU TEMPS...

IL SUFFIT D'ARRIVER JUSTE AVANT.

BIEN SÛR !

JE VAIS PRENDRE LE 77863.

EH BIEN...

OH ! C'EST PAPA !!!

MOI, UN VÉLO, UNE LONGUE-VUE, UN APPAREIL PHOTO...

JE VEUX 100 DORAYAKIS.

C'EST PAPA QUI A ACHETÉ LE BILLET, IL Y A DEUX SEMAINES.

 ACHÈTE-MOI UN COLLIER DE PERLES !

 SIX MILLIONS !?

 IL NE FAUT PAS QUE TU GASPILLES L'ARGENT COMME TON PÈRE !

 ON A TOUT VU. CE N'EST PAS LA PEINE DE LE CACHER. ATTENDS ! DE QUOI TU PARLES ? ON VA ACHETER UNE VOITURE, FAIRE UN VOYAGE À L'ÉTRANGER, ET...

 POURQUOI VOUS ÊTES FÂCHÉS ? J'AI TENU MA PROMESSE...

 VOUS PARLEZ DU BILLET DE LOTERIE ?

 JE ME SUIS SOUVENU DE MA PROMESSE ET JE L'AI REVENDU À UN AMI. RASSUREZ-VOUS.

Le téléphone qui s'incruste

ÇA FAIT UN MOMENT QU'IL TÉLÉPHONE.

AU FAIT, QUE S'EST-IL PASSÉ LA DERNIÈRE FOIS ?

JE CHANGE DE SUJET MAIS...

JE PRÉFÈRE M'ASSEOIR POUR PARLER.

ENFIN !

C'EST JUSTEMENT PARCE QUE J'AI LA FLEMME D'ALLER LE VOIR QUE JE LUI TÉLÉPHONE.

ALORS TU N'AS QU'À ALLER CHEZ LUI !

J'AI UNE DISCUSSION IMPORTANTE AVEC UN AMI.

MAIS C'EST UN JOUET !

QUOI ? TU AS UN TÉLÉPHONE ?

?

ALLÔ.

DIS "ALLÔ", POUR VOIR.

C'EST LE "TÉLÉPHONE QUI S'INCRUSTE" ! TU PEUX DISCUTER EN ALLANT DIRECTEMENT CHEZ TON INTERLOCUTEUR.

EXACTE-MENT !

SI ON DISPOSE CES TÉLÉPHONES PARTOUT, IL SUFFIT DE DIRE "ALLÔ" POUR ÊTRE CHEZ QUELQU'UN.

C'EST PRATIQUE.

AH LÀ LÀ !

TU PEUX ME LES DÉPO-SER ?

ALLÔ ?
ALLÔ ?

JE VAIS
TÉLÉPHONER
TOUT DE
SUITE.

JE LES AI TOUS
DISPOSÉS.

JE TOMBE
À PIC.

ALLÔ.

MOI AUSSI,
JE VAIS ALLER CHEZ
QUELQU'UN.

C'ÉTAIT
DÉLICIEUX.

HE ! C'EST RIDICULE POUR UN GARÇON !

EN FAIT, J'ADORE JOUER À LA POUPÉE.

C'EST MON SECRET ! HiHiHi...

BONJOUR !!

CETTE FOIS, JE SUIS CHEZ SHIZUKA.

JE TE DONNE UN DORAYAKI ! ALORS, PROMETS-MOI DE NE LE DIRE À PERSONNE !

JE VAIS APPELER LA POLICE.

C'EST LOUCHE...

C'EST BIZARRE. JE SUIS SÛRE D'AVOIR ENTENDU UNE VOIX.

ELLE N'EST PAS LÀ ?

AAAH !

ALLÔ...

ON VA JETER ÇA À LA POUBELLE.

C'EST ENCORE UNE BÊTISE DE DORAEMON.

ALLEZ, SALUT !

JE VAIS RENTRER CHEZ MOI.

SI ELLE N'EST PAS LÀ, TANT PIS.

POUAH!

C'EST AFFREUX !!!

POUAH!

Le monsieur et l'éléphant

SALUT ! JE NE T'AVAIS PAS VU DEPUIS UN MOMENT. TU AS GRANDI.

IL EST REVENU D'INDE ?

C'EST TONTON NOBIRO.

NOUS AVONS UN INVITÉ...

TONTON VEUT NOUS RACONTER UNE HISTOIRE ÉTRANGE.

VOYONS !!!

TONTON ! TU AS UN CADEAU ?

C'EST VRAI QUE TU ADORAIS LES ÉLÉPHANTS.

MOI AUSSI, J'ADORAIS HANAO. J'ALLAIS SOUVENT LE VOIR AU ZOO.

L'ÉLÉPHANT HANAO ÉTAIT TRÈS APPRÉCIÉ DES ENFANTS.

JE SUIS PARTI AVEC MA FAMILLE POUR ME RÉFUGIER À LA CAMPAGNE.

ON N'AVAIT PLUS VRAIMENT LE TEMPS D'ALLER AU ZOO.

TOKYO ÉTAIT SANS CESSE EN PROIE AUX RAIDS AÉRIENS.

MAIS LA GUERRE S'EST INTENSIFIÉE.

J'ÉTAIS TRÈS INQUIET POUR HANAO.

J'AI APPRIS QUE TOKYO AVAIT ÉTÉ DÉVASTÉ.

J'EN AI DÉJÀ ENTENDU PARLER.

À L'ÉPOQUE, ON QUITTAIT LA VILLE POUR ÉVITER LES BOMBARDEMENTS.

QUAND JE SUIS RENTRÉ À TOKYO, JE ME SUIS PRÉCIPITÉ AU ZOO.

LA GUERRE FINIT PAR SE TERMINER.

J'AI DEMANDÉ OÙ ÉTAIT HANAO.

IL NE RESTAIT PLUS QUE DES CHÈVRES ET DES COCHONS.

J'AI PLEURÉ TOUTE LA NUIT.

JE SUIS RENTRÉ CHEZ MOI EN PLEURANT.

IL A ÉTÉ TUÉ ?

COMMENT ÇA ? "IL N'AVAIT PAS LE CHOIX" ?

IL N'AVAIT PAS LE CHOIX.

PROBABLEMENT UN EMPLOYÉ DU ZOO.

QUI A FAIT UNE CHOSE AUSSI CRUELLE ?

C'EST LÀ QUE L'HISTOIRE SE CORSE...

JE NE VOIS PAS EN QUOI CETTE HISTOIRE EST ÉTRANGE.

UN ANIMAL SI DOUX !

JE ME DISAIS EXACTEMENT LA MÊME CHOSE.

ON DOIT LE SAUVER !!!

... ON VA RETOURNER DANS LE PASSÉ.

AVEC LA MACHINE DU TEMPS QUI EST DANS LE TIROIR DU BUREAU...

PLUS PERSONNE NE VIENT VOIR LES ANIMAUX.

C'EST CALME.

IL N'Y A NI LION, NI GUÉPARD.

IL N'Y A QUE DES CAGES VIDES.

J'ESPÈRE QUE HANAO VA BIEN.

C'EST LÀ-BAS.

ON NE LE NOURRIT SÛREMENT PAS CORRECTEMENT.

IL EST AMAIGRI. ON VOIT SES OS.

IL A L'AIR MAL.

IL EST LÀ !

VOILÀ QUELQU'UN !

CE SONT DES POMMES DE TERRE. MANGE-LES.

TU AS FAIM ? TU NE VAS BIENTÔT PLUS SOUFFRIR.

PAOoOM

QUI ÊTES-VOUS ?

VOUS POURRIEZ LUI DONNER, NON ? IL A FAIM !

RADIN !!

JE NE PEUX PAS FAIRE ÇA !

NON !!

QUOI ?

ELLES SONT EMPOISON-NÉES.

NON ! ARRÊTEZ !

VAS-Y ! MANGE !

POURQUOI VOULOIR L'EMPOISON-NER ?

VOUS ÊTES VRAIMENT CRUEL.

IL EST INTELLIGENT.

IL NE LES MANGE PAS.

JE L'AI CHÉRI COMME MON ENFANT.

JE NE POURRAI JAMAIS LE TUER...

SI LE ZOO EST BOMBARDÉ ET QUE LES ANIMAUX S'ÉCHAPPENT, CE SERA TERRIBLE POUR LES HABITANTS.

C'EST UN ORDRE.

C'EST-À-DIRE QUE...

MONSIEUR LE DIRECTEUR ! VOUS NOUS DÉSOBÉISSEZ EN LAISSANT VIVRE CET ÉLÉPHANT !

C'EST INCONCEVABLE !!!

EUH...

MÊME CET ANIMAL SERA HEUREUX DE MOURIR POUR LE BIEN DE LA PATRIE !

AUJOURD'HUI, LA SITUATION DU JAPON EST TRÈS DIFFICILE. DE NOMBREUX SOLDATS RISQUENT LEUR VIE TOUS LES JOURS. ET VOUS ME PARLEZ DE LA VIE D'UN ANIMAL ?

AUJOURD'HUI, ON LUI A DONNÉ DES PATATES EMPOISONNÉES.

ALORS, VOICI UNE SEMAINE QU'ON A CESSÉ DE LE NOURRIR.

LES PIQÛRES NE TRANSPERCENT PAS LA PEAU DE HANAO.

JE VAIS M'EN OCCUPER.

TROP ! C'EST TROP !

QUOI ? IL NE LES A PAS MANGÉES ?

181

ALLONS, ALLONS !

SI VOUS M'EN EMPÊCHEZ, VOUS ALLEZ ME LE PAYER.

LÂCHEZ-MOI !

ATTENDEZ ! JE VOUS EN SUPPLIE !

MONSIEUR LE DIRECTEUR ! UN RATON LAVEUR S'EST ÉCHAPPÉ DE SA CAGE.

NE VOUS ÉNERVEZ PAS. DISCUTONS-EN.

LE JAPON VA PERDRE.

NE VOUS INQUIÉTEZ PAS POUR LA GUERRE. ELLE VA BIENTÔT SE TERMINER.

ON A D'AUTRES PRIORITÉS.

OU BIEN LE RENVOYER D'OÙ IL VIENT, EN INDE...

ON DIT JUSTE QU'IL N'EST PAS NÉCESSAIRE DE TUER CET ÉLÉPHANT. IL SUFFIT DE L'ENVOYER À LA CAMPAGNE...

VOUS ÊTES SÛREMENT DES ESPIONS ENNEMIS !!!

QU'EST-CE QUE VOUS RACONTEZ ?

AH ! MAIS CE SONT...

C'EST QUOI, CETTE SIRÈNE ?

POURQUOI SE SONT-ILS SAUVÉS ?

LES AVIONS ENNEMIS NOUS BOMBARDENT.

BOUUUM

UNE BOMBE EST TOMBÉE DU CÔTÉ DE LA CAGE DE L'ÉLÉPHANT.

ATTENTION ! OÙ ALLEZ-VOUS ?

PADOOM

IL EST SAIN ET SAUF !

JE NE LAISSERAI PERSONNE TE TUER.

L'ÉLÉPHANT A DISPARU !

JE VAIS L'EMMENER LOIN DANS LA MONTAGNE.

OÙ ALLEZ-VOUS ?

HANAO, CACHE-TOI ! ILS VONT VENIR TE CHERCHER.

MAIS SON CORPS EST INTROU-VABLE.

IL A SÛREMENT ÉTÉ TOUCHÉ PAR UNE BOMBE.

ON VA FOUILLER LE ZOO DE FOND EN COMBLE.

ON VA FERMER TOUTES LES ISSUES.

ET ON LE TUERA DÈS QU'ON LE RETROU-VERA.

VROOOM

J'AURAIS DÛ LE TUER TOUT À L'HEURE !

RASSEMBLEZ AUTANT D'HOMMES QUE POSSIBLE.

VOUS SAVEZ BIEN QUE C'EST IMPOSSIBLE. QU'EST-CE QUE JE PEUX FAIRE ?

C'EST LA MEILLEURE SOLUTION.

SI ON LE RENVOYAIT EN INDE ?

ÇA PARAÎT DIFFICILE DE VOUS SALIVER AVEC CET ÉLÉPHANT.

AH... MAIS...

VOICI LA "LAMPE QUI RAPETISSE" !!!

OUI, "LA JUNGLE INDIENNE".

J'ÉCRIS "INDE" COMME DESTINATION ?

* SIGLE DE LA POSTE JAPONAISE.

VOICI LA "FUSÉE POSTALE".

PORTE-TOI BIEN !

FSHHHH

MAIS... QUI ÊTES-VOUS ?

VOUS POUVEZ ÊTRE RASSURÉ.

QUAND IL ARRIVERA À DESTINATION, IL RETROUVERA SA TAILLE NORMALE.

ALLEZ, AU REVOIR !

J'Y VIENS, J'Y VIENS.

JE NE VOIS TOUJOURS PAS EN QUOI TON HISTOIRE EST INCROYABLE.

J'ESPÈRE QUE ÇA A MARCHÉ.

ET J'AI FINI PAR N'AVOIR PLUS LA FORCE DE MARCHER...

J'IGNORE COMBIEN DE JOURS J'AI ERRÉ.

JE N'AVAIS PAS DE NOURRITURE SUR MOI.

J'ÉTAIS DANS LE FIN FOND D'UNE MONTAGNE INDIENNE.

DONC, JE ME SUIS ÉGARÉ TOUT SEUL.

... ...

L'ARBRE À KAKIS SUR LEQUEL JE GRIMPAIS...

NOTRE REFUGE À LA CAMPAGNE PENDANT LA GUERRE...

LE VISAGE DE NOS PARENTS...

C'EST VRAI CE QU'ON DIT. QUAND ON EST À L'AGONIE, TOUTE NOTRE VIE DÉFILE, DEPUIS NOTRE NAISSANCE.

JE L'AI APPELÉ PAR SON NOM. IL M'A REGARDÉ AVEC NOSTALGIE. SON REGARD ÉTAIT DOUX. ET JE ME SUIS ÉVANOUI.

C'EST LÀ QUE M'EST APPARU...

... LE VISAGE DE HANAO ! IL S'EST APPROCHÉ DOUCEMENT DE MOI.

QUAND J'AI REPRIS CONNAISSANCE, J'ÉTAIS ALLONGÉ EN BAS DE LA MONTAGNE PRÈS D'UN VILLAGE. J'ÉTAIS SAUVÉ.

J'AI EU L'IMPRESSION D'AVOIR ÉTÉ BERCÉ SUR LE DOS DE HANAO. MAIS J'AI PEUT-ÊTRE RÊVÉ.

C'EST VRAI QUE C'EST UNE HISTOIRE ÉTRANGE.

HMM...

IL EST TOUJOURS EN VIE !

HANAO EST DONC ARRIVÉ SAIN ET SAUF EN INDE.

MAIS MÊME SI C'EST UN RÊVE, ÇA M'A FAIT PLAISIR.

C'EST CE QUE JE PENSE AUSSI.

C'EST SÛREMENT UN RÊVE. HANAO, QUI ÉTAIT MORT, NE POUVAIT PAS SE TROUVER EN INDE !

OUAAAAIS ! HOURRA ! HOURRA !

Les aventures de Ryôma le petit prince du tennis.
Déjà 19 tomes disponibles en librairie !

INU YASHA

Kagome, jeune Japonaise de 15 ans, mène une vie paisible au sein de sa famille auprès d'un temple de Tokyo jusqu'au jour où tombant dans un puits, elle fait un bond dans le temps et se retrouve à l'époque Sengoku dans un Japon où monstres et esprits malins abondent. Elle fait alors la rencontre d'Inu-Yasha, un être hybride tenant à la fois de l'humain, du chien et du démon. Celui-ci est à la recherche de la perle de Shikon. Sans cesse oscillant entre Japon moderne et Japon féodal, l'aventure peut alors commencer!

Déjà 30 tomes disponibles en librairie!

www.mangakana.com

DORAEMON by FUJIKO •F• FUJIO
© 1974 by FUJIKO •F• FUJIO PRODUCTION
All rights reserved
Original Japanese edition published in 1974 by Shogakukan Inc., Tokyo
French translation rights arranged with Shogakukan Inc.
through The Kashima Agency for Japan Foreign-Rights Centre

© KANA (DARGAUD-LOMBARD s.a.) 2006
7, avenue P-H Spaak - 1060 Bruxelles

Tous droits de traduction, de reproduction et d'adaptation strictement réservés
pour la France, la Belgique, la Suisse, le Luxembourg et le Québec.

Dépôt légal d/2006/0086/159
ISBN 978-2-8712-9958-7

Conception graphique : Les Travaux d'Hercule
Traduit et adapté en français par Misato
Adaptation graphique : Eric Montésinos

Imprimé en Italie par ⬛ Grafica Veneta - Trebaseleghe (Padova)